Junie B. en primer grado: Navidad, Navidad (¡Qué calamidad!)

BARBARA PARK

Junie B. en primer grado: Navidad, Navidad (¡Qué calamidad!)

ilustrado por Denise Brunkus

SCHOLASTIC INC.

New York Toronto London Auckland Sydney
Mexico City New Delhi Hong Kong Buenos Aires

A mi querida Amy Berkower, cuya paciencia y apoyo siempre vienen acompañados del mejor sentido común. Tengo mucha suerte de tenerte como mi agente... y qué afortunada soy de que seas mi amiga.

Originally published in English as *Junie B., First Grader: Jingle Bells, Batman Smells! (P.S. So Does May.)*

Translated by Aurora Hernandez.

ISBN 13: 978-0-545-01449-6
ISBN 10: 0-545-01449-2

Text copyright © 2005 by Barbara Park
Illustrations copyright © 2005 by Denise Brunkus
Translation copyright © 2007 by Scholastic Inc.
All rights reserved.

Published by Scholastic Inc. by arrangement with Writers House.
SCHOLASTIC, SCHOLASTIC EN ESPAÑOL, and associated logos are trademarks and/or registered trademarks of Scholastic Inc.

12 11 10 9 8 7 6 5 4 3 2   9 10 11 12/0

Printed in the U.S.A.
First Spanish printing, November 2007

NOTA DEL EDITOR: Al igual que en la versión original en inglés, los errores gramaticales y de uso de algunas palabras que aparecen en el libro son intencionales y ayudan al lector a identificarse con el personaje.

Contenido

1

Paz y buena voluntad

Querido diario de primer grado:
  ¡Yupi! ¡Yupi! ¡Bravo!
  ¡Hoy es el último día de
clases antes de las vacaciones!
Las vacaciones de invierno,
así le dicen en la escuela
a "tengo que salir de aquí o
reviento". ¡Te lo aseguro!
Porque la bocona de May me
está volviendo loca.

1

¡Chismosea de mí casi todos los días!

Por eso ayer acabé persiguiéndola por el patio. Y le tiré hierba a la cabeza.

Fue divertido. Solo que espero que Santa Claus no me haya visto.

En esta época del año, el tipo ese me vigila como un halcón.

De,

Junie B. de primer grado

P.D. ¡Oye! ¡Espera! ¡Casi lo olvido! Hoy todos los de primer grado vamos a cantar villancicos. Va a ser genial, ya verás, porque

Justo entonces dejé de escribir. ¡Porque no podía creer lo que veía!

La chismosa de May estaba estirando el cuello ¡para leer mi diario!

Cerré mi diario superrápido.

—¡Esto no es asunto tuyo, señorita! —le dije.

Pero May ya estaba dando saltos en su silla.

—¡Sr. Susto! ¡Sr. Susto! —gritó muy alto—. ¡Junie Jones me llamó una cosa muy fea en su diario! Dijo que era una bobona. Y eso no está bien.

Yo puse los ojos en blanco al oír ese comentario tan tonto.

—No es bobona. Es bocona, May —dije—. Bocona, con c, no con b.

El Sr. Susto se puso de pie.

—Niñas, por favor —dijo.

Y probablemente nos iba a gruñir. Pero sonó el teléfono y tuvo que contestarlo.

Yo me crucé de brazos y miré a May.

—B es la letra que siempre te olvidas cuando dices mi nombre, May. Me llamo Junie B. Jones. ¿Por qué no te acuerdas de la B? ¿Eh, May? ¿Eres boba o qué?

May puso cara enojada.

Entonces, de repente, agarró el diario de mi mesa. ¡Y empezó a arrancar la página!

Yo intenté quitárselo. Pero ella no lo soltaba. Así que empezamos a pelear.

Yo tiré muy fuerte.

Entonces, May tiró más fuerte todavía.

Y... ¡*PUUUUM!*

Tiré y tiré con todas mis fuerzas. ¡Y yo y mi diario salimos disparados hasta mi asiento!

Abracé el diario que estaba sano y
salvo. Pero algo no estaba bien.

Miré hacia abajo.

Durante la pelea, la manga del suéter de May se había enganchado en mi dedo gordo sin querer.

Y, ¡oh, no!

¡La manga se había estirado por todo el pasillo!

La desenganché del dedo rápidamente. Pero no volvió a su sitio.

Se quedó encima de mis piernas muy estirada.

Tragué saliva al ver aquello.

Entonces, muy despacio, miré a May.

Y *¡catapún!*

¡Se puso como una fiera!

¡Salió disparada de su silla! Y empezó a gritar a todo pulmón.

—¡SR. SUSTO! ¡SR. SUSTO! ¡JUNIE JONES ESTIRÓ LA MANGA DE MI

SUÉTER! ¡JUNIE JONES ESTIRÓ LA MANGA DE MI SUÉTER!

El Sr. Susto colgó el teléfono.

Yo hice un ovillo con la manga de May. Y se la quise devolver. Pero ella no la quería. Así que la manga se desenrolló en el piso.

A May casi se le salen los ojos de la cabeza.

—¡AAAAH! ¡AAAAH! ¡ESTÁ EN EL PISO! —gritó—. ¡ESTÁ DESTROZADO! ¡MI SUÉTER ESTÁ DESTROZADO!

Di golpecitos con los dedos muy *piensadora*.

—Este... bueno, en realidad no está destrozado todo el suéter. Es solo una manga, May —dije en voz baja—. Si te crece el brazo hasta el piso, te quedará como un guante. Creo.

May volvió a abrir la boca para gritar. Pero el Sr. Susto ya venía corriendo hasta nuestra fila.

No dijo ni una palabra.

Nos agarró a May y a mí de la mano. Y nos sacó fuera del salón de clases.

La manga del suéter de May se arrastraba por el piso detrás de ella.

Era un poco divertido.

La levantó muy triste.

—¡Mire esto! ¡Mírelo bien, Sr. Susto! —gruñó—. ¡Junie Jones destrozó mi suéter! ¡Junie Jones lo destroza todo!

Yo le resoplé.

—Yo no destrozo todo —dije—. Y además, ¡esto ni siquiera fue culpa mía! ¡Tú empezaste, May! Tú fuiste la que *robeó* mi diario.

El Sr. Susto me miró.

—Robó —dijo—. Se dice robó, Junie B., no *robeó*.

Yo me aspiré los cachetes. Porque ese no era el momento para hablar de gramática.

—Está bien. Se robó mi diario —dije—. Me lo quitó *y intentó* arrancar una página.

May siguió discutiendo.

—¡Pero solo le quité el diario porque había escrito una cosa mala sobre mí! —dijo.

Pegué un pisotón.

—Pero May no habría sabido que escribí de ella sino fuera una chismosa —dije—. Chismosear el diario de alguien es una invasión de la *primacidad*.

El Sr. Susto frunció el ceño.

—Privacidad —dijo—. Es una invasión de la privacidad, Junie B. No *primacidad*.

Eché la cabeza hacia atrás.

—¡Dios mío! ¿No puede dejar de corregirme y calmarse un poco? ¡Estoy intentando decir algo! —dije.

El Sr. Susto me miró intensamente. Me dijo que era yo la que debía calmarme.

Pegué un salto.

—¡ESTOY CALMADA! —grité.

Después de eso, me fui muy rápido a la fuente. Tuve que beber un poco de agua para calmarme.

Bebí y me calmé.

Luego me limpié la boca. Y empecé a moverme hacia delante y hacia atrás un poco nerviosa.

—Perdón —dije un poco bajito—. Perdone que me haya enojado, Sr. Susto.

Lo miré.

—A veces la gramática hace que me explote la cabeza —dije.

El Sr. Susto sonrió un poco.

Después me llevó hasta donde May. Y nos habló con voz calmada.

—Niñas, realmente no entiendo su comportamiento —dijo—. Esta época del año es el mejor momento para intentar estar en paz y tener buena voluntad. Pero ustedes cada día se tratan peor.

Yo y May nos señalamos.

—¡Es su culpa! —gritamos a la vez.

El Sr. Susto movió la cabeza.

—No me importa de quién sea la culpa —dijo—. Si tienen otra pelea hoy, no cantarán villancicos. Y pasarán la tarde en la oficina del director.

Se me puso la carne de gallina al oír esas palabras.

Porque ya he pasado tardes en la oficina del director. Y ahí no se cantan muchas canciones.

—Así que ustedes deciden —nos dijo—. ¿Van a darse la mano y hacer las paces? ¿O quieren pasar la tarde con el director?

Miré de reojo a May.

Estaba ahí de pie como una estatua. Y miraba al piso.

Esperé y esperé a que me diera la mano. Pero no levantó la vista.

Por fin, el Sr. Susto pegó un pisotón enojado.

—¿Y bien? —volvió a decir.

Esperé un poco más.

Pero May no hacía nada.

Así es como terminé pegando un resoplido muy grande. Y agarré la manga larga del suéter de May. Y la moví.

—Ya está. Listo. Ya le di la manga y *hice* las paces —dije.

—E hice —dijo el Sr. Susto.

—Como sea —dije.

Entonces volví a dejar la manga en el piso. Y le di una patada para acercarla hasta May.

Ella suspiró.

Entonces la recogió y la restregó en mis pantalones.

—¡Oye! ¿Qué haces? —grité.

El Sr. Susto chasqueó los dedos muy enojado.

May dejó de restregar.

—Solo estaba quitándole el polvo —dijo.

El Sr. Susto se llenó los cachetes de aire. Y luego lo soltó muy despacio.

Después nos volvió a agarrar de la mano.

Volvimos al Salón Uno.

La paz y la buena voluntad no se nos dan muy fácilmente.

2

Sombreros de fiesta

Nos pasamos el resto de la mañana haciendo aritmética.

Aritmética es la palabra que usan en la escuela para sumar y restar. Solo que no me podía concentrar muy bien en los números. Porque May no paraba de mirarme mal. Y de mover su manga por todas partes.

Muy pronto alguien llamó a la puerta.

—¡ADELANTE, POR FAVOR! —dijimos todos.

El Sr. Susto nos enseñó a decir eso.

Pero no sé por qué. Porque la gente entra de todas formas.

La puerta se abrió muy despacio.

Y ¡JA!

¡Era el Sr. Tut! ¡El profesor de música!

Llevaba una caja grande de cartón.

Tenía mucho polvo. Creo. Porque cuando el Sr. Tut la dejó en el piso, Sheldon empezó a estornudar como un loco.

Sheldon es alérgico al polvo. También es alérgico a los cerdos, los productos lácteos y la naturaleza.

—¡AH... AH... AH... CHÚÚÚ! ¡ACHÚ! ¡ACHÚ! ¡ACHÚ!

El Sr. Susto lo miró muy asustado. Después agarró una caja de pañuelos de papel y salió disparado a la mesa de Sheldon.

Pero Sheldon ya se estaba limpiando la nariz con la manga de la camisa.

—¡Ja! ¡Le volví a ganar, Sr. Susto! —dijo—. ¡Siempre que estornudo le gano la carrera!

El Sr. Susto cerró los ojos.

Luego Sheldon levantó el puño en el aire y gritó:

—¡SHELDON POTTS ES EL MEJOR!

El Sr. Susto puso los ojos en blanco. Después apartó la caja polvorienta de la mesa de Sheldon. Y el Sr. Tut quitó la tapa.

Yo me asomé.

¡Y yupi yupi yei!

¿A que no sabes qué había?

¡ROPA DE ELFO! ¡Eso era lo que había!

¡Había gorritos verdes con cascabeles en las puntas! ¡Y también había chalecos de elfo con cascabeles!

El Sr. Tut los levantó para que los viéramos.

—Niños y niñas, nuestra asociación de padres y alumnos hizo estos disfraces hace unos años para la función de Navidad

—dijo—. ¿No son maravillosos? ¡Todos los niños de primero se los van a probar hoy!

Empezó a pasarlos.

Lucille, la ricachona, agarró uno.

Lo miró y puso cara de enojada.

—Eh... Primero: yo no uso ese tono de verde. Y segundo: yo no me pongo gorritos con cascabeles —dijo.

El Sr. Susto miró hacia el techo.

Después agarró a Lucille de la mano.

Y la llevó fuera del salón.

Lucille volvió con el gorro puesto.

Muy pronto, todos los del salón también llevábamos los gorros puestos.

Movimos la cabeza.

Los cascabeles sonaban muy graciosos.

—¡Oye! ¡Este salón suena como un trineo con cascabeles! —dije.

El Sr. Tut sonrió.

—Tienes razón, Junie B. Todos los años uno de los salones tiene la suerte de ponerse los gorros con cascabeles. Y este año, como el Salón Uno se ha portado tan bien en la clase de música, ¡ha sido el elegido!

Todos los niños empezaron a aplaudir y a gritar.

Menos Lucille, que levantó los brazos y dijo:

—¡Qué mala suerte!

Después de eso, puso la cabeza en la mesa. Y no la volvió a levantar.

El Sr. Tut la ignoró.

—Y eso no es todo —dijo—. Porque cada año, el salón que lleva los gorros de cascabeles sube al escenario. Y dirige a todo el público para cantar "Navidad, Navidad".

Todos los del Salón Uno saltamos de nuestras sillas.

—¡Navidad, Navidad! ¡Yupi! ¡Yupi! ¡Vamos a cantar Navidad, Navidad!

El Sr. Tut sonrió.

—Muy bien. Para asegurarme de que se saben la letra, vamos a tener un pequeño ensayo —dijo.

—¡ENSAYO! —gritamos—. ¡YUPI! ¡YUPI! ¡ENSAYO!

Solo que peor para nosotros. Porque los ensayos no son como para celebrar.

Al principio fue divertido.

Pero luego se hizo muy aburrido.

Y así fue como empecé a cambiar la letra.

Navidad, Navidad,
qué calamidad.
Come higos
y sandías
hasta reventar.

Herbert y Lennie se rieron y rieron.

May tragó saliva.

Después salió disparada y empezó a acusarme.

—¡Sr. Tut! ¡Sr. Tut! Junie Jones está cambiando la letra.

Yo le tiré de la falda.

—¡Oye! ¡May! ¿Estás loca o qué te pasa? —susurré—. Tú y yo no podemos pelearnos más, ¿no te acuerdas? Si me acusas tendremos que pasar la tarde en la oficina del director.

May se tapó la boca con las manos. Y se sentó muy rápido.

—Este... nada, olvídelo —le dijo al Sr. Tut.

Me sequé el sudor de la frente, aliviada.

—Guau. Esa estuvo cerca —dije—. Menos mal que gracias a mí nos salvamos por los pelos.

May me miró enojada.

—No fue gracias a ti, Junie Jones —dijo—. Fue gracias a mí. Yo fui la que no te acusó.

Me apuntó con el dedo.

—Pero más te vale no volver a decir

esas cosas malas —dijo—. Porque te aseguro, Junie Jones, que si cantas eso en el escenario, te acusaré, pase lo que pase.

Yo respiré hondo.

—Comer higos y sandías no son cosas malas, May —dije—. Los higos y las sandías son muy ricos y muy sanos.

—No me importa —dijo—. Ya has estropeado muchas cosas hoy, Junie Jones. Estropeaste mi suéter. Estropeaste mi buen humor. Y ahora vas a estropear la canción.

Se cruzó de brazos.

—Y aunque me meta en problemas, pienso acusarte —dijo—. Te lo aseguro, Junie Jones.

Después de eso, se echó para atrás en su silla. Y se frotó las manos.

Miré a esa niña una y otra vez.

Creo que May está mal de la cabeza.

3

Con campanas y alegría

Después de comer fuimos a cantar villancicos.

Y ¡ja!

¡El escenario parecía el taller de Santa Claus! ¡Había unos tropecientos mil elfos en ese sitio!

¡Y espera a que oigas esto!

¡Los del Salón Uno nos sentamos en la primera fila!

Yo me senté al lado de mi amigo Herbert.

—¡Esto va a ser muy divertido! ¿A que sí, Herbert? Será el mejor momento de nuestras vidas.

Justo entonces, May se sentó justo al otro lado.

Yo dejé de sonreír.

—Ese asiento está reservado, May —le dije—. Lo estoy reservando para otra persona.

Ella miró a su alrededor.

—¿Para quién? —preguntó.

—Para alguien que no eres tú, para que te enteres —dije.

May no se movió.

—No puedes hacer que me vaya, Junie Jones. Este asiento es propiedad pública —dijo.

Se acercó un poco más.

—Me voy a pegar a ti como si fuera pegamento. Va a ser la única manera de que te portes bien.

Le enseñé los dientes y gruñí, *grrrrrrrrrr*.

A May no le dio miedo.

Al final, me acerqué más a Herb. Hice como si May fuera invisible.

Muy pronto empezamos a cantar.

El Sr. Tut dijo que abriéramos el libro de villancicos por la primera página.

La primera canción era "Los peces en el río".

Es sobre un montón de peces que no paran de beber el agua del río.

Le di golpecitos a Herb.

—Oye, ¿por qué crees que estos peces no paran de beber? —pregunté.

—Creo que es porque el agua tiene sal —dijo—. Pero si siguen así el río se va a secar y se van a morir todos.

Yo asentí. Ese Herb lo sabe todo.

Después de eso, cantamos "La Marimorena", "Feliz Navidad" y "Las posadas".

Por fin, el Sr. Tut fue hasta el piano. Y dijo que era la hora de cantar ¡Navidad, Navidad!

El Salón Uno salió corriendo al escenario.

Era muy emocionante. Solo que May se pegaba a mí como una lapa.

Se pegó a mis talones cuando subía los escalones.

Después se puso muy cerca de mí.

Y me susurró al oído.

—Voy a estar escuchándote, Junie Jones —dijo—. Voy a escuchar todas las palabras que digas.

Yo sonreí para mí misma. Porque le tenía una sorpresa guardada.

Muy pronto, el Sr. Tut levantó las manos para empezar la canción.

Me puse de pie muy estirada.

Entonces tomé aire. Y canté muy alto y claro.

> Navidad, Navidad,
> dulce Navidad,
> con campanas
> y alegría
> hay que celebrar.

Navidad, Navidad,
dulce Navidad,
todos juntos
este día
vamos a cantar.

Miré de reojo a May.

Creo que tenía cara de decepcionada.

Sonreí. Después volví a tomar aire. Y le canté al oído.

> Navidad, Navidad,
> qué calamidad.
> Porque May
> del trineo
> hoy se caerá.

—¡Hey! —gritó May.

Me reí al oír eso porque ¡Hey! iba perfecto con la canción.

Todos los del Salón Uno volvimos a cantar el estribillo. Pero yo me estaba riendo tanto que no podía cantar.

¡Era lo más divertido del mundo!

Solo que peor para mí.

Porque en cuanto volvimos al salón, May me acusó.

Y eso no estuvo nada bien.

El Sr. Susto nos dijo que fuéramos a su mesa.

Dijo que estaba muy decepcionado con nosotras. Solo que por desgracia ya no quedaba tiempo para mandarnos a la oficina del director.

Yo me sentí aliviada un poquito.

Solo que entonces llegaron las malas noticias

Porque ¿quién se lo iba a imaginar?

El Sr. Susto dijo que tenía el tiempo justo para escribir una nota a nuestros padres.

4

El último nombre

Querido diario de primer grado:

A mamá y papá no les sentó muy bien la nota.

Dijeron que no es divertido tirar a nadie del trineo.

Eso hizo que empezara a reírme otra vez.

Me mandaron castigada a mi cuarto.

Los mayores no tienen sentido del humor.

33

De,
Junie B. de primer grado

Dejé mi lápiz en la mesa y miré la cabeza de May.

Ella no levantó la vista de su diario.

—Sé que me estás mirando, Junie Jones. Pero no me importa que por tu culpa nos dieran una nota —dijo—. Porque mi mamá está muy orgullosa de mí. Dijo que te merecías que te acusaran.

La miré más intensamente.

A veces cuando miras a alguien muy intensamente, puedes derretirles la cabeza. Lo vi en el anuncio de una película.

Creo que era para mayores.

Seguí mirando y mirando. Pero la cabeza de May no se derritió.

Por fin dejé que mis ojos descansaran.

Intentaré derretirle la cabeza después de comer.

Justo entonces, el Sr. Susto se puso de pie en su sitio. Y dijo que guardáramos los diarios.

—Niños y niñas, hoy visitaremos la tienda de regalos que la escuela ha instalado en el salón de las computadoras para que los estudiantes puedan comprarles regalos a sus familiares —dijo—. La semana pasada envié una nota a sus padres. ¿Recuerdan?

Sonrió.

—Hoy solo vamos a mirar los regalos —dijo—. El viernes volveremos con nuestro dinero y compraremos lo que queramos.

Yo moví la mano de un lado a otro.

—¿Sabe qué, Sr. Susto? ¿Sabe qué? Que mi mamá dijo que podía gastar un dólar entero para cada miembro de mi familia.

¡Y eso es un total de cinco dólares! —dije.

Lucille levantó la mano.

—Yo puedo gastar todo el dinero que quiera —dijo—. Soy muy rica.

Se levantó muy orgullosa.

—Mi familia tiene más dinero del que puedes pinchar en un palo.

El Sr. Susto la miró durante un rato muy largo.

—Sí, muy bien, Lucille, pero afortunadamente no hace falta ser rico para comprar en esta tienda —dijo—. Todo tiene un precio muy asequible. ¿Todo el mundo sabe lo que quiere decir asequible?

—¡Yo! ¡Yo! —grité—. ¡Asequible quiere decir barato! A mi abuelo Frank Miller le encanta lo barato.

Sheldon pegó un salto.

—¡Oye! A mi abuelo también le

encanta lo barato. Mi abuela lo llama Renato el Barato.

El Sr. Susto sonrió.

—Antes de ir a la tienda de regalos, vamos a sacar los nombres para el juego del amigo secreto que tendremos en nuestra fiesta de Navidad. Así, cuando estemos en la tienda, podrán buscar el regalo que le quieran comprar a su amigo secreto —dijo—. Llevamos toda la semana hablando de este juego y de la fiesta. ¿Alguien me puede decir cuál es la norma más importante del amigo secreto?

Todos los del Salón Uno gritaron a una.

—¡HAY QUE MANTENERLO EN SECRETO!

El Sr. Susto levantó los pulgares.

—¡Eso es! ¡Excelente! Hoy, cuando sepan quién es su amigo secreto, deben mantener el nombre en secreto —dijo—. Si no lo mantienen en secreto, en fin, no serán amigos secretos, ¿verdad?

Después de eso empezó a pasar un canasto con los nombres de todos. Todos los niños cerraban los ojos y sacaban un papel.

Solo que peor para mí.

Porque yo estoy en el último asiento de la última fila.

Así que cuando el Sr. Susto por fin llegó hasta mí, solo había un nombre en el canasto.

Y esa fue la peor parte de todas.

Mi maestro intentó convencerme de que ser la última era algo maravilloso.

—¡Enhorabuena, Junie B. Jones! —dijo—. ¡Tienes el honor de elegir el último nombre!

Yo di golpecitos con los dedos muy

enojada.

—Sí, ya, claro... pero eso del último nombre no es precisamente elegir —dije—. El último nombre es lo tomas o lo dejas.

Me crucé de brazos enojada.

—¡Odio este sitio, Sr. Susto! ¡Lo odio! ¡Lo odio! Aquí siempre me toca lo peor —dije—. Incluso el primer día de clases me dieron los crayones que estaban usados.

El Sr. Susto miró al techo.

—Sí, Junie B. Ya lo sé. Todos lo sabemos —dijo—. Lo dices siempre que tienes que colorear.

Miré a mis amigos.

—¿Ya he dicho que mi crayón rojo ni siquiera tenía punta? Porque no tenía. Mi crayón rojo estaba...

—Usado —dijo Lennie—. Sí. Ya nos lo contaste.

Volví a dar golpecitos con los dedos.

—¿Ya he dicho que mi crayón verde estaba partido por la mitad? —pregunté—. Mi crayón verde estaba un poquito...

—Descuajeringado —dijo Pierre—. *Oui.* También nos contaste eso.

El Sr. Susto me dio el último nombre.

—Mira. Ahora mismo alguien del Salón Uno espera que seas su amigo secreto, Junie B. —dijo—. Así que tienes que leer el nombre ahora mismo.

Suspiré.

Después me senté toda triste en la silla.

Y leí el nombre.

5

Elfas

Apoyé la cabeza en la mesa muy duro.

El Sr. Susto leyó el nombre de mi papel.

Levanté la cabeza y lo miré. Después volví a bajar la cabeza.

El Sr. Susto dijo que cambiara de actitud.

Me agarró de la mano y me hizo levantar.

—Niños y niñas, Junie B. Jones necesita un poco de ayuda para leer el nombre —dijo—. Ahora mismo volvemos.

Entonces, rápido como un rayo, me sacó del salón. Y cerró la puerta.

Yo me volví a cruzar de brazos.

—No es justo, Sr. Susto. ¡Odio ese nombre tonto! ¡Lo odio! —dije.

Mi maestro chasqueó los dedos.

—Sabes que no dejo que nadie diga esa palabra en mi salón, Junie B. —dijo—. En el Salón Uno no se odia.

Yo miré a mi alrededor.

—Pero yo no estoy en el Salón Uno —dije—. Yo estoy en el pasillo.

El Sr. Susto me miró.

—No se puede decir tampoco en el pasillo —dijo.

Levanté las cejas con curiosidad.

—¿De verdad? ¿En serio? —dije—. Muchos niños se quedarían de piedra si oyeran eso.

El Sr. Susto se agachó hasta mí.

—Mira, ya sé que May y tú no son íntimas amigas —dijo—. Pero en estos días de fiesta es importante que haya paz y buena voluntad, ¿recuerdas? Y ser la amiga secreta de alguien que no te gusta es la mejor manera de mostrar buena voluntad.

Yo me lo quedé mirando.

¿Cómo se les ocurren esas cosas a los maestros?

—De verdad, Junie B. —dijo—. Si haces algo bueno por May, te sentirás orgullosa por dentro. Sentirás que te has hecho un regalo a ti misma.

Yo seguí mirándolo.

A lo mejor lo aprenden en la escuela de maestros.

Después de eso, me despeinó con la mano. Y me volvió a llevar al salón.

Muy pronto, todos los niños se pusieron en fila en la puerta. Y seguimos al Sr. Susto hasta la tienda de regalos.

El salón de las computadoras está al fondo del pasillo y a la vuelta de la esquina.

Había una señora en la tienda con un gorro de elfo.

—¡Bienvenido, Salón Uno! —dijo—. ¡Bienvenidos a la tienda de regalos!

Nos sonrió con sus dientes grandes y blancos.

—Soy la presidenta de la asociación de padres y alumnos —dijo—. Me llamo Srta. Hooks, pero solo por hoy, me pueden llamar Elfa Ellen.

Miró a su alrededor.

—Algunos de ustedes ya conocen a Jeff, mi hijo, que está en tercer grado.

Roger levantó la mano.

—Yo conozco a Jeff Hooks —dijo—. El año pasado Jeff me robó el dinero para la leche.

Elfa Ellen se quedó congelada. Luego señaló al otro lado de la sala.

—Allí está Elfa Wendy. Elfa Wendy y yo estamos aquí para ayudarlos a elegir los regalos. Si tienen cualquier pregunta, por favor, dígannoslo.

Roger volvió a levantar la mano.

—¿Castigaron a Jeff por lo que hizo? Porque lo acusé en la oficina, pero nunca me devolvieron el dinero.

Elfa Ellen entrecerró los ojos.

—Quise decir preguntas sobre la tienda de regalos —dijo.

Después de eso, nos pasó una lista con todas las cosas que se podían comprar. Y nos habló de los precios.

—Niños, como pueden ver, en cada una de las cinco mesas hay un número —dijo—. El número de la mesa quiere decir lo que cuestan las cosas de esa mesa.

Señaló.

—Por ejemplo, todas las cosas de la Mesa Uno cuestan un dólar. Y todas las cosas de la Mesa Dos cuestan dos dólares. Y las cosas de la Mesa Tres cuestan tres dólares, etc. ¿Lo entienden todos?

Sheldon levantó la mano.

—¿Y cuánto cuestan las cosas de la Mesa Cuatro? —dijo.

Elfa Ellen se aspiró los cachetes.

—La Mesa Cuatro tiene el número cuatro, ¿verdad? Cuatro quiere decir cuatro. Las cosas cuestan cuatro dólares.

Sheldon asintió muy pensativo.

—Ya veo —dijo—. ¿Y las de la Mesa Cinco?

Elfa Ellen miró al Sr. Susto.

—¿Me está tomando el pelo?

El Sr. Susto sonrió.

Sheldon también sonrió.

Roger hizo otra pregunta.

—¿Dónde está la Mesa Treinta y Cinco Centavos? —preguntó—. Eso es lo que me debe Jeff Hooks. ¿Hay una Mesa Treinta y Cinco Centavos?

Elfa Ellen miró a Roger.

Entonces se metió la mano en el bolsillo.

Y le dio treinta y cinco centavos.

—Toma —dijo—. ¿Contento?

Después de eso se quitó el gorro de elfo. Y lo puso en el mostrador. Y dijo que iba a tomarse un descanso.

Roger sonrió.

El Sr. Susto también sonrió.

6

Generosa

Elfa Wendy dio unas palmadas.

Dijo que era la hora de mirar. Pero que por favor no rompiéramos los juguetes ni nos comiéramos los bastoncitos de caramelo. Y que por favor no nos sonáramos la nariz con los mantelitos.

Me fui a la Mesa Dos muy contenta.

¡Porque había visto algo que me encantaba!

—¡Crayones! ¡Tienen crayones! —dije emocionada.

Los agarré y miré adentro.

—¡Miren! ¡Miren! ¡El rojo está afilado! ¡Y el verde no está partido!

Respiré hondo para sentir el olor de los crayones nuevos.

—Umm. Umm. Umm. ¡Me requetechiflaría comprar estas cosas! —dije.

Justo entonces, mi amigo Herbert me arrastró a la Mesa Uno.

—¡Tatuajes! ¡Tatuajes! ¡Tienen tatuajes, Junie B.! Y parecen de verdad de la buena —dijo.

Yo me quedé sin aliento.

¡Había tatuajes de piratas! ¡Y tatuajes de dragones! ¡Y tatuajes de dinosaurios! ¡Y tatuajes de gatitos! ¡Y también tenían de animales del pantano!

—¡Guau! ¡Esos tatuajes son el sueño de cualquier niño! —dije—. ¡Me requetechiflaría comprar estas cosas!

De repente, vi algo en la Mesa Tres. Y me quedé con la boca abierta.

Eran...

—¡GANCHITOS DE PELO QUE BRILLAN EN LA OSCURIDAD! —grité emocionada—. ¡Siempre he querido tener estas cosas!

—Qué bueno —dijo Herb.

—¡Ya sé que es bueno, Herbert! —dije—. Porque si te sueltas el pelo por la noche, siempre lo puedes encontrar.

Justo entonces, sentí un golpecito en el hombro.

Me di la vuelta.

Era May.

—No debes pensar en comprar cosas para ti, Junie Jones —dijo—. Estamos aquí para comprar regalos para otros.

Me tapé las orejas con las manos.

51

—¡LALALA! ¡MALAS NOTICIAS! ¡NO TE OIGO! —dije.

May levantó la voz.

—¡Es mejor dar que recibir! —gritó—. ¡Ser generoso es lo más importante en las fiestas! ¡Yo soy generosísima!

Justo entonces, oí otra voz.

Me di la vuelta para mirar.

El Sr. Susto estaba diciendo algo. Creo.

—¡YA, LO QUE PASA ES QUE NO LE OIGO! ¡PORQUE ME ESTOY TAPANDO LAS OREJAS CON LAS MANOS! —grité.

Se acercó y me apartó las manos.

No tenía cara de buen humor.

—Ustedes dos no estarán peleando otra vez, ¿verdad?

Yo moví la cabeza muy rápido.

—No. No, señor. Ni un poquito —dije—. Solo estaba muy contenta con los regalos. Eso es todo.

—Y yo le estaba diciendo que tenía que ser generosa, como yo —dijo—. Mi mamá dice que algunas personas han nacido generosas. Y otras han nacido egoístas.

Me echó una mirada.

Yo me quedé muy confundida.

Entonces miré al Sr. Susto.

—A mí ni siquiera me caen bien los egoístas —dije.

Él sonrió.

Dijo que May y yo podíamos seguir mirando. Pero que por favor, bajáramos la voz.

¿Pero sabes qué?

Que en cuanto dijo eso, ¡oímos un ruido altísimo!

Y es que ¡JA! ¡ALGUIEN EN EL
SALÓN UNO SE TIRÓ UN ERUCTO
GIGANTE!

Giramos la cabeza para mirar.

Y no podíamos creer lo que veíamos.

—¡FUE LUCILLE! ¡FUE LUCILLE!
—gritamos.

Entonces todos nos empezamos a reír a la vez.

—¡LUCILLE ERUCTÓ! ¡LUCILLE ERUCTÓ! —volvimos a gritar.

—¡Yo ni siquiera sabía que los ricos eructaban! —dije.

—¡Yo tampoco! —dijo Sheldon—. Me alegra saberlo.

Lucille pegó un pisotón.

—¡NO ERUCTÉ! ¡NO ERUCTÉ! ¡DE ESO NADA! ¡NO ERUCTÉ! —gritó.

Nos mostró un juguete redondo que tenía en la mano. Parecía una bolsita rellena de bolitas.

—¡FUE LA COSA ESTA! —dijo—. ¡ESTA COSA ERUCTÓ! ¡YO NO!

Lucille apretó la bolsita.

Y ¡JA!

¡OTRO ERUCTO GIGANTE!

Todos en el Salón Uno nos partimos de risa.

¡Hasta May se rió!

¡Y el Sr. Susto también se rió!

Un buen eructo puede unir al mundo entero, te lo aseguro.

El Sr. Susto fue a la Mesa Cinco.

Y leyó la información del juguete.

—Cuesta cinco dólares. Y se llama Bolsi-Eructos —dijo.

Todos aplaudimos al oír ese nombre tan divertido.

—¡Bolsi-Eructos! ¡Bolsi-Eructos! —gritamos—. ¡Apriete el Bolsi-Eructos otra vez, Sr. Susto!

El Sr. Susto sonrió. Pero dijo que no con la cabeza. Y lo volvió a poner en la mesa.

—Creo que ya hemos tenido bastantes eructos por hoy. ¿No creen? —dijo.

Todos los del Salón Uno gruñimos.

—¿Cómo se pueden tener bastantes eructos? —dijo Pierre—. Los eructos son muy divertidos.

Sheldon asintió.

—Es verdad. Mi abuelo puede eructar el himno nacional —dijo—. Le pedí que viniera a la escuela para mostrárselo a todos, pero no tiene ni un rato libre.

Miré a Sheldon con admiración.

Su familia tiene mucho talento. Creo.

Después de eso, todos fuimos corriendo a la Mesa Cinco. Y nos pusimos alrededor del Bolsi-Eructos.

Leímos lo que decía en una de las bolsas:

BOLSI-ERUCTOS
¡La mayor diversión del mundo!

—¡Ese regalo es genial! —dije—. ¡Me requetechiflaría comprar esa cosa!

—¿Y a quién no? —dijo Lennie.

—*Oui* —dijo Pierre—. Seguro que hasta a mi abuelo le gustaría.

Shirley se quedó con los hombros caídos.

—Ojalá no costara cinco dólares —dijo—. Cinco dólares es mucho dinero para un eructo.

—Sí —dijo Sheldon—. Porque en mi casa todos, menos mi abuelo, eructan gratis.

Después de eso todos los niños se fueron a ver otras cosas.

Todos menos yo.

Me quedé ahí todo el rato.

Porque el Bolsi-Eructos era el regalo más divertido que había visto en mi vida.

Y yo tenía que tener una de esas cosas, ¡de verdad!

¡Tenía que tenerla!

7

Hacer las cuentas

Ese día, fui corriendo supperrápido hasta mi casa desde la parada del autobús.

¡Porque los miércoles es el día que el abuelo Miller nos cuida a mí y a mi hermano Ollie! Y, cuando necesito dinero, Frank Miller es la persona con la que hay que hablar.

Grité a grito pelado.

—¡ABUELO MILLER ¡OYE, ABUELO MILLER! ¡TE NECESITO! ¡TE NECESITO! —grité.

Me llamó desde el sótano.

—¿Junie B., eres tú? Estoy aquí abajo con Ollie. ¡Estamos arreglando la secadora!

Salí disparada hacia allí todo lo rápido que pude.

Ollie estaba sentado en el canasto de la ropa sucia. Le daba martillazos a su zapato con un martillo de plástico.

Le di golpecitos en la cabeza.

Ollie tiene un tornillo suelto. Creo.

Después de eso, corrí hasta mi abuelo. Y me subí a la secadora.

—¡Cómo me alegra que estés aquí, abuelo Miller! Porque resulta que el viernes tengo que comprar regalos en la tienda de la escuela. Y mamá me va a dar cinco dólares.

Lo agarré por el cuello de la camisa.

—¡Pero necesito más, Frank! ¡Necesito cinco dólares más! Porque cinco y cinco son diez. ¡Y con diez dólares puedo comprar todo lo que necesito!

Mi abuelo sonrió.

—Qué niña más dulce. No hace falta que gastes mucho dinero en la abuela y en mí —dijo—. Con algo de un dólar para cada uno es suficiente. Y seguro que tu mamá, tu papá y Ollie piensan lo mismo.

Me bajó de la secadora.

—Lo que hace que un regalo sea especial no es el precio, Junie B. —dijo—. La intención es lo que cuenta.

Miré y *requetemiré* al hombre ese.

Parecía que no me había entendido.

—Está bien, esto es lo que pasa —dije—. Se supone que los abuelos les tienen que dar a sus nietas todo el dinero que ellas necesiten. Así son las reglas.

El abuelo Miller levantó las cejas.

—¿Ah, sí? —dijo.

Después de eso volvió a sonreír. Y se volvió a meter detrás de la secadora.

Yo me rasqué la cabeza.

Su actitud me estaba molestando un poco.

Volví a treparme a la secadora. Y le di un golpecito en la cabeza.

—¿Cómo es que no lo entiendes, abuelo? Es muy sencillo —dijo—. Necesito cinco dólares y tú tienes cinco dólares. ¡Tachán! ¡Haz las cuentas!

El abuelo Miller me miró.

—¡Tachán! ¿Haz las cuentas? —repitió—. ¿Eso es lo que dijiste?

Entonces, de repente, empezó a reírse a carcajadas.

—¡Tachán! ¡Haz las cuentas! ¡Ja! ¡Es genial! —dijo.

Yo me crucé de brazos muy enojada.

Porque "¡Tachán! ¡Haz las cuentas!", no es como para reírse.

Me bajé de la secadora muy gruñona.

—Muy bien, olvídalo —gruñí.

Entonces empecé a subir las escaleras. Pero el abuelo me llamó otra vez.

—¡Oye, oye! No te vayas enojada —dijo.

Me di la vuelta.

¡Y no te lo vas a creer!

¡El hombre estaba sacando dinero de su cartera!

—A ti te va a ir bien en la vida, pequeña —dijo muy amable.

¡Entonces me dio los cinco dólares!

—¡Gracias, abuelo! ¡Gracias! ¡Gracias! —dije.

Después le di el mayor abrazo del mundo.

¡Y subí las escaleras para contárselo a Felipe Juan Bob!

Felipe Juan Bob es mi mejor muñeco de peluche.

Lo conozco desde que lo fabricaron.

Lo agarré y lo lancé al aire.

—¡EL BOLSI-ERUCTOS, FELIPITO! ¡VOY A TENER UN BOLSI-ERUCTOS! —grité muy contenta.

Felipe me miró.

Y me dijo que dejara de lanzarlo.

Lo agarré sano y salvo.

Después lo senté en mi almohada. Y le conté todo sobre la tienda de regalos. Y además, le enseñé la lista de regalos.

—La tienda de regalos es donde vas a comprar cosas para otros... casi siempre —dije—. Así que solo voy a comprar una cosita para mí. Y nada más. Porque un juguetito pequeño no es ser egoísta. ¿A que no, Felipito? ¿Eh?

"No —dijo Felipe—. Porque además toda la familia puede disfrutar de un buen eructo".

—¡Exacto! ¡Eso es lo que yo creo! —dije—. Además, ¡todos tendrán su propio regalo que cuesta un dólar entero! ¿Y qué hay mejor que eso?

"Tú sí que eres generosa", dijo Felipe.

Lo acaricié por hacer un comentario tan simpático.

Entonces los dos volvimos a mirar la lista de regalos. Y leímos todas las cosas que costaban un dólar.

Felipe se tocó la trompa.

"Ummm. Es difícil elegir, ¿no? —dijo—. Hay cosas muy buenas".

Entonces, de repente, ¡a Felipe casi se le salen los ojos de la cabeza!

"¡Tatuajes! —dijo—. ¡Tienen tatuajes!"

—Sí, Felipe. Tienen cinco tipos distintos de tatuajes. Y todos parecen de verdad —dije.

"Ooooh —dijo—. Con los tatuajes no te vas a equivocar".

Di palmaditas muy contenta.

—¡Tienes razón! —dije—. ¡Así que está

decidido! ¡Le regalaré a cada uno su propio tatuaje! ¡Y con eso habré gastado los diez dólares! ¡Es perfecto!

Yo y Felipe Juan Bob chocamos los cinco. Después nos tiramos en la almohada. Y sonreímos y sonreímos.

—¡El viernes va a ser muy divertido! —dije—. Porque por la mañana compraré los regalos. Y por la tarde, en el Salón Uno jugaremos al amigo secreto.

Felipe saltó por los aires.

"¡Regalos y el juego del amigo secreto! ¡No hay nada mejor que eso!"

Nos volvimos a acostar sobre la almohada.

Entonces, de repente, fruncí el ceño. Porque me acababa de acordar de algo muy importante.

—Oh, no —dije.

"¿Oh no?", dijo Felipe Juan.

Tragué saliva.

—Se me olvidó el regalo del amigo secreto, Felipe Juan. Tengo que comprar un regalo para la tonta de May.

Felipe levantó los hombros.

"Ya ¿y?", dijo.

—Que ya tengo planeado en qué gastar mis diez dólares —dije—. Así que ¿de dónde voy a sacar el dinero para el regalo de May?

Felipe me miró con cara rara.

"De mamá y papá, por supuesto. Darte dinero para los regalos es su obligación, Junie B., no la tuya".

Me sentí mucho mejor.

—Es verdad. Tienes razón, Felipe. Es su obligación —dije—. Además, el regalo para May no va a costar mucho.

"Así es —dijo Felipe—. Cualquier cosa vieja estaría bien para May".

Yo lo señalé con el dedo.

—Oye, oye. Esa actitud no está bien, jovencito —dije.

Luego los dos empezamos a reírnos.

Y no podíamos parar.

8

Ser egoísta

Jueves

Querido diario de primer grado:
 ¡No lo puedo creer!
 Mamá dijo que ¡NO MÁS
DINERO!
 Y papá ~~tanvien~~ también dijo NO MÁS
DINERO.
 Dijeron que el abuelo Miller
me había dado cinco dólares más.
Solo que ÉL NO TENÍA QUE
HABÉRSELO DICHO.

¿Y ahora qué?

Porque estoy muy nerviosa.

NECESITO UN DÓLAR MÁS.
DE VERDAD. NECESITO UN
DÓLAR MÁS.

Tu amiga,

Junie B. de primer grado

Cerré mi diario.

Y miré a mi alrededor.

Mi amigo Herbert no estaba escribiendo en su diario.

Le di golpecitos en la cabeza.

—¡Oye! ¡Herb! Necesito un dólar. De verdad que lo necesito.

Él asintió.

—Ya lo sé, Junie B. Me lo dijiste en el autobús, ¿recuerdas? Pero yo no tengo un dólar. De verdad.

Se sacó los bolsillos para que los viera. Después se dio la vuelta.

Le volví a dar golpecitos en la cabeza.

—Ya, pero es que no lo necesito ahora, Herb. Lo necesito para mañana —expliqué—. Así que me puedes traer el dólar mañana. Y seré tu *supermejor* amiga.

Herb se volvió a dar la vuelta.

—Ya eres mi mejor amiga —dijo—. Pero ya te lo dije. Mi mamá solo me da el dinero justo para mis regalos. Dice que siempre que me da dinero de más, lo pierdo.

Puse los ojos en blanco.

—Madres —dije—. Son todas iguales. Piensan que sus hijos lo pierden todo. Y no es así.

Herb asintió.

—Ya sé que no. Es ridículo.

Después de eso, vino adonde yo estaba y miró en mi mesa.

—¿Me prestas un lápiz? He perdido el mío.

Le presté un lápiz.

Luego miré hacia la otra fila. Y le di golpecitos a Lennie.

—¡Oye! ¡Lennie! ¡Necesito un dólar para mañana! ¿Me puedes traer un dólar? ¿Eh, Lennie? Por fa, por fa, por fa.

Lennie movió la cabeza.

—Lo siento, Junie B. Pero mis padres son unos tacaños. Jamás en mi vida me han dado un dólar de más —dijo.

Pierre se dio la vuelta y asintió.

—Mis padres también son unos tacaños —dijo—. Son unos *radins,* que quiere decir tacaños en francés.

Justo entonces, la cabezota de May apareció muy sonriente. Me dio un golpecito

74

con su lápiz.

—¡Pídemelo a mí, Junie Jones! ¡Pídemelo a mí! —dijo—. Porque mis padres no son tacaños. ¡Yo siempre tengo dinero de sobra!

Metió la mano en la mochila.

—Ahora mismo tengo dos dólares. ¿Los quieres ver?

Sacó una carterita de plástico.

¡Y yupi yupi yei!

¡Tenía dos dólares enteritos!

—¿Ves? —dijo May—. ¡Te dije que tenía dinero! Mis padres dicen que siempre tengo que tener dinero por si hay una emergencia.

Yo me senté muy estirada.

—¡Fíjate! ¡Qué coincidencia! ¡Porque esto es una emergencia, May! —dije—. Y si tú me das uno de esos dólares, mi problema estará solucionado.

Estiré la mano.

Pero May frunció el ceño.

—No seas tonta. Esto es para mis emergencias, Junie Jones. No las tuyas —dijo.

Iba a guardar la cartera.

Así que empecé a hablar muy rápido.

—Sí... sí... pero ¡tú eres muy generosa, May! ¿Recuerdas? ¡Y yo soy la egoísta!

May se encogió de hombros.

—Ya, ¿y?

—Que si tú me das un dólar, yo me quedaré con el dólar. ¡Y eso tendría sentido!

May movió la cabeza.

—No, no puedo —dijo—. Mi papá dice que entre amigos nunca hay que prestarse dinero.

Yo di palmaditas muy emocionada.

—¡Eso es perfecto! —dije—. ¡Porque tú y yo no somos amigas! ¡Ni siquiera me caes bien, May! ¡Y además, ni siquiera me vas a prestar el dinero! ¡Me lo vas a dar! ¡Y yo no te lo devolveré!

May puso cara de mal humor. Después guardó su cartera muy rápido.

Me senté decepcionada en mi silla. Y di golpecitos con los dedos en la mesa.

—No lo entiendo —dije—. Mi razonamiento era perfecto. ¿Qué dije mal?

Herb se dio la vuelta.

—Creo que fue la parte cuando dijiste "Ni siquiera me caes bien" —dijo.

Lennie asintió.

—Y también el "no te lo devolveré" creo que no fue la frase perfecta.

May asomó la cabeza.

—Lo que pasa es que, para empezar,

jamás te daría dinero —dijo—. ¿No pensaste en eso, Junie Jones?

La miré fijamente.

"Te arrepentirás —pensé en mi cabeza—. Te aseguro que te arrepentirás".

Justo entonces, el Sr. Susto se levantó y dijo que guardáramos los diarios.

Fue a la gaveta y sacó unas bolsas de papel.

—Niños y niñas, en estas bolsas de papel vamos a guardar los regalos del amigo secreto —explicó—. Hoy cada uno de ustedes decorará la suya. Y mañana pondremos los regalos adentro.

Repartió las bolsas.

—Por favor, escriban sus nombres claramente en las bolsas —dijo—. Al final del día las pondremos en la mesa de atrás. Y mañana, cuando vuelvan de la tienda de regalos, su amigo secreto vendrá y meterá el regalo en su bolsa. ¿Les parece divertido?

Todos en el Salón Uno aplaudieron contentos.

—¡Sí! —dijeron.

—¡Muy divertido! —dijo May.

Saltó en su silla.

—¡Pensar en el amigo secreto me pone de muy buen humor! —dijo—. ¡Ni siquiera Junie Jones puede fastidiar el día de mañana y mi amigo secreto!

Después de eso, dio saltitos alrededor de su mesa. Y luego se volvió a sentar.

Me quede mirándola.

"Huy, sí, May —pensé—. Puedo fastidiar tu día totalmente".

Me crucé de brazos muy enojada.

Ya pensaría cómo hacerlo.

Seguí enojada con May todo el resto del día. Porque esa niña mala ni siquiera se merecía un regalo del amigo secreto. ¡Te lo aseguro! ¡No se merecía ni un regalo!

Fui en el autobús de lo más gruñona.

"Si yo fuera Santa Claus, le traería carbón a May —gruñí para mí misma—. Eso es lo que se merece. Carbón".

Justo entonces me quedé muy quieta. Y no moví ni un músculo.

Mi cerebro rebobinó.

"Carbón. Se merece carbón", volví a pensar.

Se me puso la carne de gallina.

Me senté más recta.

Soy un genio. Creo.

Salí zumbando a casa desde la parada del autobús, rápida como una nave espacial.

Entré corriendo por la puerta de delante... salí corriendo por la puerta de atrás... ¡y me detuve frente a la barbacoa de papá!

La barbacoa es donde papá cocina hamburguesas y perritos calientes. Y ¡ja! ¡Allí había una bolsa grande de carbón!

Metí la mano.

Y saqué un puñado.

Luego me fui corriendo a mi cuarto superrápido. Y le enseñé el carbón a Felipe Juan Bob.

—¡Carbón! ¡Carbón! ¡Tengo carbón, Felipe! ¿Quieres verlo? ¿Eh? ¿Quieres verlo? Carbón es lo que da Santa Claus a los niños malos. ¡Y eso es exactamente lo que le voy a dar a May!

Felipe me miró con curiosidad.

"Sí, solo que hay un problemita. Eso no es carbón de verdad —dijo—. Eso es carbón de barbacoa".

Le resoplé muy molesta.

—Sí, Felipe. Sé que es carbón de barbacoa —dije—. Pero una vez vi una foto de carbón de verdad, y son exactamente iguales. Así que May no notará la diferencia.

Felipe miró un poco más el carbón.

"Ah, ya lo entiendo —dijo—. El carbón es para enseñarle una lección, ¿no?"

—Sí, Felipe —dije—. Por eso Santa Claus regala carbón. Para enseñarles lecciones a los niños.

Felipe sonrió.

"Así, cuando May haya aprendido la lección, se puede hacer un perrito caliente", dijo.

Yo me reí al oír ese comentario tan divertido.

Ese muñeco de peluche no para de decir chistes.

Puse el carbón en una bolsita de plástico. Y lo metí en mi mochila.

—¡Ja! —dije—. ¡El regalo perfecto del amigo secreto para la mala de May! ¡Y no me ha costado ni un centavo!

Me limpié las manos sucias de carbón.

—Para que te enteres.

9

Los *supermejores* regalos

A la mañana siguiente, mamá me dio un billete de cinco dólares para los regalos.

Miré el billete que tenía en mi mano.

—Qué generosa —dije.

No recomiendo hacer ese comentario.

Me mandó castigada a mi cuarto.

Cuando estaba ahí, abrí mi mochila. Y miré el carbón. Seguía sano y salvo en su bolsita de plástico.

Después de eso, saqué los cinco dólares que me había dado el abuelo Miller. Y los puse con el dinero de mamá. Escondí todo el dinero dentro de mi zapato.

Esconder el dinero en el zapato es una buena manera de evitar que te lo roben los ladrones.

Lo vi en un programa de televisión sobre turistas.

Pero debí de hacer algo mal. Porque mis billetes se arrugaron en la punta del zapato. Y me aplastaban el dedo pequeño del pie.

Así es como, al llegar al Salón Uno, me quité el zapato. Y me rasqué el dedo.

May me miró. Puso cara de asco y se tapó la nariz.

—Qué asco, Junie Jones —dijo—. La gente no debería jugar con sus pies apestosos.

Yo levanté las cejas con curiosidad.

—¿Entonces con los pies de quién deberían jugar? —pregunté.

May se tapó las orejas con las manos.

—Hoy no pienso escucharte —dijo—. Hoy es el día del amigo secreto. Y no pienso dejar que estropees mi buen humor.

Después de eso se dio la vuelta. Y le dio unos golpecitos a Lennie en la cabeza.

—¡Feliz día del amigo secreto, Lennie! Estoy deseando que llegue la fiesta y el momento de jugar al amigo secreto, ¿y tú?

Lennie iba a responder, pero May lo interrumpió.

—Hoy me he vestido de rojo y verde —dijo—. ¿Ves mis calcetines? Uno es rojo y el otro, verde. ¿Los ves?

Lennie miró.

—Cuando mi abuelo hace eso, lo hacen volver para cambiarse —dijo.

May sonrió.

—Pero yo lo hice a propósito, Lennie —dijo—. ¿Ves los lazos de mis trenzas?

Uno es rojo y el otro es verde, como mis calcetines. ¿Y ves? Mi suéter es rojo y verde. Y mi vestido es rojo.

Se levantó y dio una vuelta.

—¡Así es como todo el mundo debería vestirse el día del amigo secreto! —dijo—. Cada vez que pienso en el juego y en la fiesta me dan escalofríos. ¿Lo quieren ver?

Cerró los ojos durante un segundo.

Y le dio un escalofrío.

—¡Guau! ¡Lo sentí! —dijo—. ¡Me volvió a dar un escalofrío!

Lennie la observó.

Yo también la observé.

Porque nunca antes la había visto tan contenta.

—Te portas como una loca —dije—. ¿Por qué te portas como una loca?

May empezó a poner cara de enojada. Entonces, de repente, sonrió otra vez.

—¡Ja! ¿Has visto, Junie Jones? ¿Has visto qué rápido sonreí? Aunque me insultes hoy, no vas a lograr fastidiarme el día.

Le hice un gesto de que estaba loca.

Pero May siguió sonriendo.

Muy pronto sonó la campana para empezar las clases.

El Sr. Susto pasó lista. Luego, ¡bravo! ¡Bravo! ¡Dijo que era el momento de ir a la tienda de regalos!

Di palmadas muy contenta.

¡Porque muy pronto iba a tener mi Bolsi-Eructos! ¡Y eso sería un sueño hecho realidad!

Salté de mi silla. Y corrí hasta la puerta.

—¡Yupi! ¡Yupi! ¡Soy la primera! ¡Soy la primera! —grité muy feliz.

Empecé a dar saltos en mi sitio. Y a dar piruetas. Y también di saltitos hacia adelante y hacia atrás.

El Sr. Susto dijo que por favor me calmara.

¡Pero mis pies no paraban de dar brincos!

Así es como el Sr. Susto terminó acercándose y agarrándome de la mano. ¡Y entre los dos dirigimos a los del Salón Uno a la tienda de regalos!

Entré disparada por la puerta.

Y corrí directo a la Mesa Cinco.

¡Pero espera a que oigas esto!

¡Solo quedaba un Bolsi-Eructos!

Me quedé sin aliento ante esa situación.

¡Lo agarré rápidamente!

Y lo escondí debajo de mi suéter.

Salí corriendo hasta la señora de la tienda de regalos superrápido.

—¡Rápido! ¡Deprisa! ¡Póngalo en una bolsa! —susurré—. No quiero que nadie me vea comprando esto. O me llamarán egoísta.

La señora de la tienda me miró con cara rara.

Luego le di el dinero.

Y puso el Bolsi-Eructos en la bolsa.

¡Y nadie lo vio!

Escondí la bolsa en el bolsillo de mi suéter.

Luego fui caminando muy tranquila hasta la Mesa Uno. Y compré cinco tatuajes.

¿Y sabes qué?

¡Que había uno para cada persona de mi familia! Al abuelo Miller le compré los dinosaurios. A mamá, los dragones. A papá, los piratas. A Ollie, los gatitos. Y a mi abuela Helen Miller, los animales del pantano.

—Le van a encantar estas cosas —dije—. Hay un animal de pantano para cada ocasión.

Después de eso, me fui hasta la señora de la tienda. Y le di el resto de mi dinero.

Puso todo en la misma bolsa.

Sonreí al mirar ahí adentro.

—Estos son los *supermejores* regalos que he comprado jamás —le dije.

La señora de la tienda asintió.

—Sí —dijo—. Los tatuajes y la bolsita.
Tu familia va a estar feliz.

Sonreí muy contenta.

Luego salí corriendo por la puerta de la
tienda de regalos. Y me puse en línea para
volver al Salón Uno.

—¡Ya he terminado, chicos! ¡Ya hice
todas mis compras! —dije.

May se acercó.

—Esto no es una carrera, Junie Jones.

Yo hice una mueca. Después me senté
en el piso. Y esperé y esperé y esperé.

Los del Salón Uno son los más lentos
del mundo para las compras.

Entonces... por fin... el Sr. Susto dijo
que era la hora de volver al salón. Así que
todos se pusieron en la fila detrás de mí y
los llevé de vuelta.

Todos estábamos muy contentos. Porque
después de comer comenzaría la fiesta y

jugaríamos al amigo secreto, ¡claro! ¡Y RECIBIRÍAMOS LOS REGALOS!

El Sr. Susto fue hasta la parte de atrás del salón.

—Niños y niñas, todas las bolsas de papel que decoraron ayer están en esta mesa —dijo—. Cuando diga su nombre, tienen que venir aquí y yo los ayudaré a encontrar su bolsa, ¿de acuerdo? Entonces, ponen el regalo de su amigo secreto en la bolsa sin que nadie los vea y vuelven a su mesa.

Sonrió.

—No tenemos mucho tiempo. Así que tenemos que hacerlo en orden —dijo—. El resto se quedará escribiendo o dibujando en su diario. Y recuerden... ¡no se puede mirar!

El primer nombre que dijo fue el de Lucille.

La niña esa se fue dando saltitos hasta la parte de delante del salón. Y dio una pirueta.

—Hice eso por si acaso alguien no ha notado el vestido tan caro que llevo hoy —dijo.

Luego se fue dando saltitos hasta la parte de atrás del salón con su regalo.

Miré a May. Estaba sacando su diario y no me prestaba atención.

Sin que me viera, metí la mano en la mochila. Y saqué la bolsita con el carbón.

Entonces me agaché para que no me vieran y metí el carbón en la bolsa con los otros regalos.

El plástico hizo ruido.

May se dio la vuelta para ver.

Yo sonreí.

Demasiado tarde.

El carbón ya estaba en su sitio.

10

Presión

Viernes

Querido diario de primer grado:

Sigo pensando en el regalo de May.

Me pregunto qué pasará cuando vea el carbón.

Me pregunto qué cara pondrá.

Me pregunto si aprenderá la lección.

Me pregunto si Santa Claus estará orgulloso de mí.

Eso es todo lo que me pregunto.
Tu amiga,
Junie B. de primer grado

Justo entonces noté un golpecito.

Era May.

—¿Estás nerviosa, Junie Jones? Yo estoy muy nerviosa —dijo.

Lennie la oyó.

—Yo también —dijo—. Yo también estoy nervioso.

Herb y Pierre asintieron.

—Yo también —dijeron a la vez.

May se retorció y saltó en su asiento.

Se portaba como una niña normal, algo muy raro en ella.

—Tener un amigo secreto te hace sentir como si tuvieras un *supermejor* amigo —dijo—. ¿Verdad, Lennie? ¿A que te hace sentir como si tuvieras un *supermejor* amigo?

Lennie la miró con una mueca.

—Pero yo ya tengo un *supermejor* amigo, May —dijo—. Mi mejor amigo es Pierre.

Pierre sonrió.

—Tú también, Len —dijo.

Herb me señaló.

—Y mi mejor amiga es Junie B. —dijo.

Yo le di un golpecito muy divertida.

—¡Y mi *supermejor* amigo eres tú, Herbert!

Justo entonces, May dejó de retorcerse y saltar. Y en su cara ya no quedaba ni rastro de felicidad.

—Sí —dijo—. Claro.

Bajó los hombros muy triste.

—Bueno, pues... pues así es como me siento —dijo—. Tener un amigo secreto es como si yo también tuviera un *supermejor* amigo.

Después de eso, todos nos quedamos muy callados.

Ya no estábamos contentos.

Lennie y Pierre se dieron la vuelta en sus sillas muy despacio.

Yo y Herb también nos dimos la vuelta.

No volvimos a hablar. Nos quedamos ahí sentados esperando a que el Sr. Susto dijera nuestros nombres.

Por fin llamó a Pierre, y después a Lennie.

May se volvió a poner nerviosa.

La oí susurrar para sí misma.

—¡Ya casi es mi turno! ¡Ya casi es mi turno! ¡Casi es mi turno!

Justo entonces, Lennie volvió de la mesa de los regalos. Y May salió disparada.

—¡Yo! ¡Yo! ¡Ahora voy yo! —gritó.

Después agarró su regalo. Y corrió hasta el Sr. Susto.

Muy pronto también llegaría mi turno.

Agarré mi bolsa con los regalos y le eché un vistazo al carbón.

Me sentía un poco mal del estómago.

Me pregunto si Santa Claus también se siente un poco mal del estómago antes de dejarles carbón a los niños.

May volvió a su silla dando saltitos. Y empezó a cantar "Feliz Navidad".

Me tapé los oídos. Intenté no oírla tan contenta.

Por fin el Sr. Susto dijo mi nombre.

—¿Junie B.? —dijo.

Mi corazón empezó a latir con fuerza.

Agarré mi bolsa con los regalos y fui hasta la mesa.

El Sr. Susto me guiñó el ojo.

—¿Necesitas ayuda? —dijo.

Moví la cabeza muy rápido.

—¡No! —dije—. ¡No necesito ayuda! No, gracias. No hace falta, Sr. Susto. Lo puedo hacer sola.

Tenía las manos torpes y sudorosas.

Me las sequé en la camisa.

Entonces esperé pacientemente a que el Sr. Susto se alejara.

Cuando se fue, agarré la bolsa de papel de May. Y la sujeté un rato.

Era la bolsa más linda de la mesa.

Estaba llena de estrellitas doradas y brillantina roja. Y además, tenía unos lazos verdes en los lados.

Tragué saliva.

Me pregunté cómo iba a quedar con el carbón dentro.

Me pregunté si May se pondría triste
cuando lo viera.

Volví a tragar saliva.

Me pregunté si dejaría de cantar "Feliz
Navidad".

Justo entonces, volví a oír mi nombre.

—¿Junie B.? —dijo el Sr. Susto—. ¿Estás segura de que no necesitas ayuda?

Entonces, ¡oh, no! ¡Oh, no!

Antes de que pudiera contestar, ¡oí sus pies!

¡Venía a ayudarme!

Sentí presión en la cabeza.

¡No tenía tiempo!

Así que, *¡bum!*

¡Lo hice!

Metí el regalo en la bolsa de papel de May.

Después me fui corriendo a mi mesa superrápido. Y me senté en mi silla.

Respiré varias veces.

Lo había hecho.

Ya estaba.

Fin.

11

La gran sorpresa de May

Los del Salón Uno fuimos a almorzar.

Yo no comí mi sándwich.

Y tampoco comí mis zanahorias.

Porque ¿cómo iba a tragar si no me sentía bien del estómago?

Seguí pensando una y otra vez en lo que había hecho.

Solo que ya no importaba.

Porque era demasiado tarde.

Cuando volvimos de almorzar, el Sr. Susto se puso un gorro de Santa Claus. Y nos dio galletas y pastel y jugo. Y también nos dio a cada uno un bastoncito de caramelo.

Después de eso, fue donde nuestras bolsas. Y las cerró.

—¡Muy bien, todos! ¡Ha llegado el momento que estábamos esperando! ¿Listos para que reparta los regalos del amigo secreto? —dijo.

—¡LISTOS! —dijeron todos los del Salón Uno.

El Sr. Susto sonrió.

—Cuando les dé su bolsa, déjenla encima de la mesa —dijo—. Así, cuando todos tengan la suya, las abriremos al mismo tiempo.

May saltó y aplaudió.

—¡Sí, señor! —dijo como una tonta.

Después se sentó.

Y cantó "Feliz Navidad" un poco más.

¡Y todos los del Salón Uno empezaron a cantar con ella!

Todos menos yo.

Porque no me sentía muy bien por lo que había hecho. Y no podía hacer nada para evitarlo.

Al ratito, el Sr. Susto le dio a May su bolsa.

Ella se levantó y empezó a dar saltitos alrededor de su mesa otra vez. Seguía cantando "Feliz Navidad".

Yo di golpecitos en la mesa con los dedos.

"Tanta alegría me está poniendo los nervios de punta", me dije a mí misma.

Por fin, el Sr. Susto me dio una bolsa a mí también.

—Gracias —dije.

Solo que no estaba tan contenta. Porque seguía teniendo el regalo de May en la cabeza.

En cuanto todos tuvimos nuestras bolsas, el Sr. Susto fue a la parte de delante del salón. Sonreía muy feliz.

—¡Muy bien, todos! Cuando cuente hasta tres pueden abrir sus regalos. ¿Listos? —dijo.

—¡LISTOS! —gritamos.

El Sr. Susto empezó a contar.

—¡Uno... dos... tres!

Entonces, *¡fiummm!*

Todos los niños abrieron sus bolsas a la vez.

Todos menos yo.

Y menos May.

May se quedó mirando dentro de su bolsa. Y se quedó ahí sentada, como si fuera de piedra.

Su cara parecía congelada.

Lennie se dio la vuelta para ver qué le habían regalado.

Pero May no se movía.

—¿Qué te regalaron, May? —preguntó—. ¿Qué ocurre? ¿Qué te pasa?

May no contestó.

Entonces Pierre también se dio la vuelta. Y Herb también. Y Sheldon. Y Shirley.

—¿Qué pasa? —preguntaban—. ¿Le pasa algo a May?

May seguía sin moverse.

Por fin, el Sr. Susto fue a su mesa. Y se agachó hasta ella.

—¿May? ¿Hay algún problema? —preguntó en voz baja.

May tragó saliva. Creo que tenía lágrimas en los ojos.

Entonces, muy despacio, le dio su bolsa.
Y el Sr. Susto miró adentro.

Se quedó con la boca abierta al verlo.

—Oh —dijo—. Dios mío.

Se lo devolvió.

May lo miró.

—No puedo creer que alguien haya hecho algo así —dijo muy bajito.

—¿Hacer qué? —preguntó Sheldon.

May respiró hondo.

Entonces metió la mano en la bolsa. Y sacó su regalo.

Todo el mundo se quedó con la boca abierta.

No podían creerlo. ¡Te lo aseguro!

Esperaron a recuperar la respiración.

Después todos empezaron a gritar a la vez.

—¡EL BOLSI-ERUCTOS! ¡EL BOLSI-
ERUCTOS! ¡A MAY LE REGALARON
EL BOLSI-ERUCTOS!

—¡Esa cosa cuesta una fortuna! —dijo
Shirley.

—¡Apriétalo! —gritó Sheldon.

—¡Sí! ¡Apriétalo! —gritaron los otros
niños.

May empezó a sonreír.

Entonces se levantó un poco despacio.

Y apretó la cosa esa con fuerza.

Y ¡JA!

¡Eructó perfectamente!

Todos los del Salón Uno se partieron de risa.

—¡Hazlo otra vez! ¡Hazlo otra vez!

¡Hazlo otra vez! —gritaban.

Así que May eructó otra vez.

Y todos los del Salón Uno se volvieron a reír.

Y siguieron haciéndolo por un rato.

Por fin, May se sentó por un segundo. Y se abanicó con la mano.

—Creo que soy famosa —dijo impresionada.

Luego se volvió a levantar otra vez. Y dio saltitos por el salón. Y siguió apretando la bolsita.

Yo me sentía bien al verla. Más o menos.

También me sentía mal.

Porque yo de verdad quería ese juguete. Lo quería más que nada.

Pero ya no era mío.

Y nunca lo sería.

Mi regalo seguía encima de la mesa.

Lo puse en mis piernas y miré adentro.

—¡Crayones! —dije sorprendida—. ¡Mi amigo secreto me compró crayones nuevos! ¿Quién sabía que los necesitaba?

Todos los del Salón Uno giraron.

—¡Todos! —dijeron.

Abrí la caja y olí ese olor a crayón nuevo.

Después los puse todos ordenados encima de mi mesa. Y sonreí muy contenta.

¡Porque el verde no estaba partido!

¡Y el rojo estaba afilado!

Sonreí más.

Después bebí el jugo y comí la galleta.

Me sentía mejor del estómago.

Muy pronto, May volvió dando saltitos a su mesa. Y volvió a abanicarse.

—¡Puf! Esto de ser famosa es agotador —dijo—. ¿A que sí, Junie Jones? ¿A que sí?

Yo la miré y asentí.

—Sí —dije un poco bajo.

Después de eso, May se sentó. Y las dos comimos el pastel. Y chupamos nuestros bastoncitos de caramelo.

Había paz entre nosotras.

Y creo que también buena voluntad.

May terminó de comer y se limpió la boca con la servilleta.

—Bueno, tengo que seguir dando saltitos —dijo—. Tengo que hacer unos eructos más antes de que suene la campana.

Saltó de su silla.

Pero en lugar de irse dando saltitos, se quedó ahí con su Bolsi-Eructos. Y me sonrió.

De repente, se acercó a mi asiento. Y lo puso en mi mesa.

—¿Quieres probarlo, Junie Jones? —dijo—. ¿Quieres hacer un eructo?

Yo levanté las cejas muy sorprendida.

—¿De verdad, May? ¿En serio? ¿De verdad me dejas hacerlo?

Entonces, antes de que cambiara de opinión, lo agarré. Y lo apreté con todas mis fuerzas.

Y ¡YUPI YUPI YEI!

¡Fue el eructo más grande del día!

May aplaudió una y otra vez.

—¡Ja! ¡Ese sí que fue bueno, Junie B.! —dijo—. ¡Lo hiciste genial!

Sus palabras flotaron en mi cabeza.

Sonreí.

Lo hice genial.

Después de eso, May agarró su juguete. Y empezó a dar saltitos otra vez.

Pero ¡OYE! ¡ESPERA UN MOMENTO!

¡De repente me di cuenta!

Salté y agarré a May del brazo.

—¡Espera un segundo, May! ¿Acabas de decir la B? —pregunté—. ¡Porque creo que acabas de decir la B! ¡Estoy casi segura de que la dijiste!

May se frotó la barbilla.

—Este... ¿de verdad? —preguntó—. ¿Dije B? Qué raro.

Después sonrió. Y siguió dando saltitos.

Me senté durante un segundo.

Entonces mi cara se puso feliz. Solo que no sé por qué. ¡Te aseguro que seguía queriendo un Bolsi-Eructos! Entonces, ¿por qué me sentía tan bien por dentro?

A lo mejor, cuando llegara a casa, Felipe Juan Bob me ayudaría a descubrirlo.

Pero en ese momento, solo quería una cosa.

Agarré mi crayón nuevo negro. Y escribí en mi diario.

Querido Santa Claus:
 Espero que me estuvieras
mirando.
 Eso es todo.
        Con cariño,
        Junie B. ~~de primer grado~~ la generosa
P.D.: ¿Por casualidad no tendrías
un Bolsi-Eructos extra?
     PAZ
    ~~PAS~~ Y FELICIDAD
        Amén.

BARBARA PARK es una de las autoras más divertidas y famosas de estos tiempos. Sus novelas para secundaria, como *Skinnybones* (Huesos delgados), *The Kid in the Red Jacket* (El chico de la chaqueta roja), *My Mother Got Married (And Other Disasters)* (Mi madre se ha casado y otros desastres) y *Mick Harte Was Here* (Mick Harte estuvo aquí) han sido galardonadas con más de cuarenta premios literarios. Barbara tiene una licenciatura en educación de la universidad de Alabama. Tiene dos hijos y vive con su marido, Richard, en Arizona.

DENISE BRUNKUS ha ilustrado más de cincuenta libros. Vive en Nueva Jersey con su esposo y su hija.